voor Bettina
(K.M.)

voor Philipp, Andreas & Kerstin,
die Hannah zo trouw hebben begeleid
(B.W.)

© Nederlandse vertaling: Merel de Vink
Omslag en illustraties: Kerstin Meyer
Nederlandse rechten Lemniscaat b.v. Rotterdam 2009
ISBN 978 90 477 0147 7
© 2008, Patmos Verlag GmbH & Co. K.G.
Sauerländer Verlag, Düsseldorf
Oorspronkelijke titel: *Hannah und ich*
Druk en bindwerk:Proost n.v., Turnhout, België

Bettina Wegenast

Hanna en ik

Illustraties:
Kerstin Meyer

Lemniscaat 8 Rotterdam

We speelden altijd graag

We ruilden ook stickers
of we speelden met

maar we hadden

grafenisje, Hanna en ik.

n plakten ze in,

nze barbies.

ok wel eens ruzie.

Bijvoorbeeld omdat Hanna haar Pocahontasbarbie altijd de blauwe kanten jurk wilde aantrekken. Terwijl ze wist dat die jurk van mijn Dreambarbie is. Pocahontas ziet er in die kanten blauwe jurk echt vreselijk stom uit. Dat ziet toch iedereen? En als ze die jurk nou zo mooi vond, waarom vroeg ze dan niet zelf een Dreambarbie? Dat deed ze dus niet en ze wilde altijd de jurk van mijn barbie hebben. Soms gingen we ook samen naar de stad en dan gaven we ons zakgeld uit aan nieuwe glimmende stickers. We kochten altijd verschillende vellen zodat we met elkaar konden ruilen.

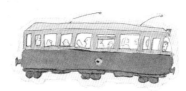

Hanna was een flink stuk groter dan ik. Ze had kort blond
haar. Ze droeg het liefst jurken en rokjes, maar ze moest
vaak een broek aan. Haar lievelingsjurk was haar blauw-
met-witte feestjurk. Die had een ronde kraag
waar ze altijd aan sabbelde. Om de een of
andere reden was ze enorm trots
op die kraag, die in mijn ogen
niks bijzonders was. Hij was in
ieder geval niet zo mooi als de kraag van
mijn witte kanten jurk. Die mag ik alleen
bij hele speciale gelegen-
heden aan, nooit naar
school. Mama vindt dat
hij daar te mooi voor is.

Maar als ik 'm niet naar school
aan mag, dan kunnen de anderen
hem niet eens zien!

Samen deden Hanna en ik onze mooie jurken aan, of kleren van onze moeders, en dan speelden we 'deftig dametje'.

Het was leuk met Hanna.

Begrafenisje was ook leuk. Als we een
dood dier vonden of als een van onze
eigen dieren was doodgegaan, kreeg het
van ons een echte begrafenis.
We hebben een tijd gehad dat er een
heleboel dieren doodgingen.
Een paar parkieten, drie cavia's, Karens
rat en ook een keer een poes. De poes
was onder een auto gekomen. De cavia's
waren óf oud, óf ziek, en de rat had
kanker.

Ratten krijgen vaak kanker en dan gaan ze dood.
Voordat-ie dood was had de rat een paar parkieten
vermoord, maar dat kwam doordat ze allemaal in dezelfde
serre zaten. De rat mocht daar vrij rondlopen, omdat je
de serre dicht kunt doen. De vogels vlogen ook vrij rond.
Mama houdt niet zo van die kleine vogelkooitjes.

gemeen

Opeens begon de rat de parkieten te vermoorden.
Ik vond het echt vreselijk en mama ook, maar zé zei dat
de rat er niet zoveel aan kon doen omdat dat nu eenmaal
in zijn aard zit. Maar ik vind wél dat die rat er iets aan
kan doen. Ook al zit het in zijn aard. Het is echt walgelijk
om onschuldige parkieten te vermoorden.

In ieder geval vonden we steeds iets wat we konden
begraven.

Soms namen we ook kevers, dode
spinnen of bijen.

De doden kregen altijd een echt kruis. We mochten uit
papa's schuurtje restjes hout en spijkers pakken. Daarmee
maakten we echte kruisen.
We schreven de namen erop met een viltstift. De dieren
die we vonden hadden geen namen, maar die verzonnen
we gewoon. Een glimmende kever heette 'zilverrug' en
een jonge merel noemden we 'pechvogel'.

We wikkelden de doden eerst in mooi roze wc-papier
voordat we ze in de aarde legden. Soms gebruikten we
lapjes stof die we van mama kregen.

Met het metalen schepje groeven we een graf in de grond.
Gelukkig hebben kleine beestjes niet zoveel plaats nodig,
want onze tuin is heel klein. Toen we een keer aan het
graven waren kwamen we de schedel van een cavia tegen.
Ik wilde 'm graag houden, maar Hanna vond dat we hem
weer terug moesten leggen.

Een van ons speelde altijd de dominee die allemaal goeie dingen over de dode zei. Hoe lief hij was en hoe mooi en zo. Zo gaat dat als er iemand is dood-gegaan.

We huilden ook altijd een beetje, omdat het natuurlijk heel erg is als er iemand doodgaat. Soms lukte het niet zo goed met dat huilen. Ik kende de meeste dieren namelijk niet echt. Ik stelde me dan voor dat de dode een goede bekende was, die ik heel graag mocht. Bijvoorbeeld onze juf. Dat was meestal genoeg om een paar tranen in mijn ogen te krijgen. Dat Hanna doodging heb ik me nooit voorgesteld.

Daarna gingen we rechtop naast het graf staan en zongen we droevige liedjes zoals 'Oh my darling Clementine'.

Of het liedje over de hond die stokslagen krijgt van de kok, alleen maar omdat hij een ei heeft gepikt. Dat vonden we zó zielig!

Daarna dronken we sap en aten we chips. We legden soms nog iets bij de dieren in het graf. Iets waarvan we dachten dat ze het leuk hadden gevonden toen ze nog leefden. Graantjes bij de cavia's, en bij een jonge ekster legden we de glimmende dop van een balpen.

We hadden veel lol samen, Hanna en ik.
Maar Hanna kon ook heel kwaad worden. Ze wilde een
keer drie engelenstickers van me hebben. Ze wilde ze
ruilen tegen dierenstickers. De dierenstickers glommen
dan wel, maar mijn blauwe engelen waren veel mooier.
Ze mocht er van mij best eentje hebben, maar ze wilde
ze echt alledrie, omdat ze niet kon beslissen welke ze de
mooiste vond. Maar drie vond ik te veel. En Hanna werd
erg boos. Ze schreeuwde tegen me en ging naar huis.
We hebben drie dagen niks tegen elkaar gezegd. Ik was
ook woedend, want ik vond het vreselijk dat mijn beste
vriendin me een gierig kreng had genoemd.

Daarna hebben we het weer goedgemaakt. Maar die engelenstickers kreeg ze toch mooi niet. In plaats daarvan gaf ik haar twee hondenstickers;
die vond ze ook mooi.

En toen was ze opeens dood.
Een vrachtwagen had haar vol geraakt. Ze stond niet eens op straat, maar op de stoep. Het stuur van de vrachtwagen was kapot, of zoiets. Hij reed helemaal over haar heen.

Sabine en Iris waren er ook bij. Iris werd opzij geslingerd en brak haar arm. Sabine was ook flink gewond. Ze heeft in ieder geval lang in het ziekenhuis gelegen.
Hanna was op slag dood. Net als onze poes, die door een auto overreden was.

Bij de poes zag je niet zoveel, er kwam alleen wat bloed uit haar oor.

Ik weet niet of Hanna ook uit haar oor bloedde. Dat kun je je toch niet goed voorstellen. Eerst nog lekker rondrennen en het volgende moment hartstikke dood zijn. Ik vroeg me daarna nog vaak af waarom Iris niet was doodgegaan. Die vond ik toch niet zo aardig. Waarom moest het uitgerekend Hanna zijn, mijn beste vriendin?

Ik weet dat het niet aardig is om te denken dat je liever had gehad dat er iemand anders was doodgegaan. Ik heb me daarvoor ook best geschaamd. Maar eigenlijk kon het me ook niks schelen dat ik dat dacht, want Hanna was mijn beste vriendin, Iris niet. Ik heb het in ieder geval nooit hardop gezegd.

Toen ze het vertelden van Hanna, geloofde ik het eerst niet. Hanna dood? Dat kan niet, dacht ik, ze moeten zich vergissen. Zeker een hele andere Hanna. We hadden toch nooit ruzie? Nou ja- bijna nooit.
En sowieso gaan kinderen niet dood. Dieren en oude mensen gaan dood, ja. Maar kinderen niet. Ik heb wel eens foto's van dode kinderen gezien uit Joegoslavië of Afrika en die vond ik vreselijk. Maar dat is ver weg. Hier gaan kinderen niet dood.
Hanna wel.

Op school was er een afscheidsbijeenkomst voor Hanna.
Onze juf heeft voor de hele school over Hanna verteld.
Ze zei dat Hanna een hele lieve en slimme leerlinge was
geweest en dat iedereen haar aardig had gevonden. Zou ze
dat ook over mij gezegd hebben?

Of over Iris? Iris is niet zo geliefd en dan kan je toch
moeilijk zeggen dat iedereen haar graag mocht.
Maar eigenlijk kon ik niet goed denken. Ik zat daar maar.
Iris huilde heel hard. Ze kan er ook niks aan doen dat ze
nog leeft.

Daarna hebben we met de hele school een lied voor Hanna
gezongen. Dat lied van de maan die opkwam. De juf had
het lied uitgekozen. Ze zei dat Hanna dat altijd zo mooi
had gevonden.

Het lied over de maan vond ze inderdaad erg mooi, maar ik wist zeker dat ze 'Oh my darling Clementine' nog mooier vond.

Het maakte toch niks uit. Omdat echt álles fout was.

Het foutste was dat Hanna er niet bij was. Dat ik niemand kon aanstoten toen de directeur keihard zijn neus ophaalde. Dat had Hanna vast ook grappig gevonden. Stel je voor: een volwassen directeur die heel hard zijn neus ophaalt! Naar de begrafenis ben ik niet geweest. Ik bleef thuis. De anderen zijn bijna allemaal gegaan. Bijna de hele klas. Maar ik niet. De juf ging natuurlijk wel. Maar ze zei dat ze niemand kon dwingen te gaan en dat je ook thuis mocht blijven. Toen ze dat zei, had ze me heel raar aangekeken. Iedereen keek me de hele tijd raar aan. Dat was waarschijnlijk omdat ik haar beste vriendin was. In de klas waren ze soms opeens stil als ik erbij kwam. Daardoor wist ik dat ze het over Hanna hadden. Soms wilde ik ook graag over Hanna praten. Maar dat ging niet, het leek dan net alsof iemand mijn keel dichtkneep.

Als mama me in haar armen nam drukte ze me heel
dicht tegen zich aan en zei dan bijvoorbeeld 'mijn
arme kleintje' of zoiets. Dat vond ik fijn, maar het hielp
niet echt. Ze vroeg me ook vaak of ik een keertje met
haar naar de begraafplaats wilde. Maar dat wilde ik niet.
Wat moest ik nou met Hanna's graf? Ik wilde Hanna
terug, ik wilde geen stom graf. Ik keek liever naar de
houten kruisen in onze tuin en dacht aan de dieren die
we begraven hadden.

Toch ben ik er een keer naartoe gegaan.
Helemaal alleen. 's Middags, toen papa en
mama aan het werk waren en Karen er ook
niet was.

Ik ging op de fiets. Op de fiets ben je er heel
snel. Ik had een flesje sap uit de koelkast en
een zakje chips bij me. De chips had ik speciaal
gekocht. Mijn fiets zette ik buiten tegen de muur, bij
een kleine deur. Ik wilde niet door de hoofdingang naar
binnen.

De kindergraven liggen op het achterste gedeelte van de
begraafplaats.
Ik ben er een paar keer met papa geweest, omdat opa en
oma daar vlakbij begraven liggen. Ik keek altijd naar die
kleine grafstenen en las wat erop stond.
Ik zag Hanna's graf direct. Het was nog helemaal nieuw
en er lagen veel kransen en bloemen. En ook nog andere
dingen: Hanna's schriften en haar gymspullen en Hanna's
Pocahontasbarbie.
Aan de meeste kransen hingen linten. Daar stonden allerlei
teksten op zoals: 'Voor onze geliefde kleindochter' of
'voor ons klasgenootje Hanna'.

Ik denk dat Hanna het erg mooi had gevonden als ze het had kunnen zien. Maar ik wist zeker dat nog niemand het lied van de arme Darling Clementine voor Hanna had gezongen. En ook niet het lied van de hond.

En ik wist: als ik het niet doe, doet niemand het.

Daarom ben ik netjes gaan staan en heb ik zacht gezongen. Eerst het lied over de 'arme Darling' en daarna dat over de hond. Het lied van de hond redde ik niet helemaal.

Toen ging ik op een krans zitten en at de chips en dronk mijn sap. Eerst kreeg ik het niet weg doordat mijn keel dichtzat, maar toen dacht ik eraan dat we dat altijd deden bij onze begrafenissen; het hoort er nu eenmaal bij. Dus at ik chips en dronk ik bijna alle sap op.

Toen ik niet meer kon goot ik de rest van het sap over de kransen. De chips die ik overhad verkruimelde ik en strooide ik er ook overheen.

Daarna zat ik daar nog een tijdje. Ik probeerde me voor te stellen hoe ze eruitzag, met dat blonde haar. En wat ze nu aan het doen zou zijn. Toen merkte ik dat ik niet meer zo heel precies wist hoe haar gezicht eruitzag.

Ik probeerde me voor te stellen hoe ze er voor de rest uitzag. Maar dat was echt heel moeilijk. Ik schrok me rot, omdat ik niet precies meer wist hoe mijn beste vriendin eruitzag.

Opeens moest ik vreselijk huilen. Echt zó erg dat het snot uit mijn neus liep. Ik had natuurlijk geen zakdoek bij me en veegde alles af aan mijn mouw. Ik heb daar best lang gezeten en gehuild.

Ik hoopte eigenlijk dat Hanna me een of ander teken zou geven als ze me daar huilend zag zitten. Net zoals in dat verhaal waarin de oudere, dode broer zijn jongere broer een witte duif als teken stuurt.

Maar er gebeurde niks.

Ik stond op en liep naar mijn fiets. Ik fietste
naar huis en haalde daar wat spullen op.
Dat had ik ineens bedacht.

Toen ik weer terug was, groef ik met de schep
een klein gat in de grond. Ik legde de blauwe
jurk van mijn Dreambarbie erin en twee
van de blauwe engelenstickers. Niet
alledrie, maar twee. Hanna kan er nu
toch niet meer mee spelen. Maar ze krijgt
dus ook nog de blauwe jurk. Ik speel niet meer zo vaak
met de barbies.

Daarna maakte ik het gat weer dicht. Ik keek nog eens
goed naar het graf met al die kransen. Je kon het kruis
bijna niet meer zien door al die bloemen. Sommige
daarvan waren al helemaal verdord. De verdroogde
bloemen plukte ik af en ik gooide ze in de vuilnisbak.
Ik liep de begraafplaats af en fietste terug naar huis.
Ik wist dat alles nu goed was.

Hanna

Ik mis Hanna nog altijd. Thuis heb ik een paar foto's
gevonden waar ze op staat. Ik kijk er af en toe naar en
dan denk ik terug aan de tijd dat we samen speelden.
Je beste vriendin zul je voor altijd missen, denk ik.
Ook wanneer je allang weer met anderen speelt.